Helen Ryan

EL MAESTRO Y LA ESTRELLA

El maestro y la estrella
© Helena Ryan
helenaryan11@gmail.com

ISBN: 978-1-7361171-0-1 (pasta dura)
ISBN: 978-1-7361171-1-8 (digital)

Asesoría editorial
Jaime Alexándrovich

Revisión de textos
Julián Andrés Pastrana

Ilustraciones de carátula y páginas
José CampoH

Diagramación
Carlos Alberto Gómez

A Dios que es la fuente de mi inspiración.

Al amor que me ha enseñado la
bondad del ser humano.

Quiero hacer un inmenso reconocimiento y manifestar
mi profunda gratitud a mis hermanas, Mélida Floyd
y Sonia Siegler, por su dedicación y estímulo que hicieron
posible la materialización de esta idea.

A Jaime Alexándrovich, no solo por ser el asesor editorial
de este libro, cuya contribución ha sido fundamental, sino
también porque ha sido un hermano que se cruzó
en nuestro camino desde que tengo memoria.

A mi querida familia, mi esposo John, mis hijos Michael
y Elizabeth que han sido la mejor lección de amor que la
Divina Providencia me haya otorgado.

EL MAESTRO Y LA ESTRELLA

Dijo el Maestro al universo: "Todos brillamos por la gloria del amor".

Una de las estrellas que titilaba en ese espacio infinito le contestó: "Maestro, háblanos de la Madre Tierra. Las otras estrellas aseguran que es muy linda y por eso me gustaría visitarla algún día".

El maestro contempló a su interlocutora con ternura y acto seguido afirmó: "sí, allí se encuentra la creación humana acompañada de una gran diversidad de especies". Dicho esto, le preguntó a Estrellada (así se llamaba la curiosa estrella): "¿por qué quieres ir allá si estamos tan lejos de ese planeta y a la vez tan cerca de quienes lo habitan?".

Llena de intriga, Estrellada continuó interrogando al Maestro: "no entiendo cuando afirmas que estamos muy lejos de la Madre Tierra y a la vez muy cerca de quienes allí viven".

"Déjame explicártelo", pidió el Maestro con una voz susurrante: "la Madre Tierra es nuestra esperanza. Hay en ella un encanto único, sus hijos se deleitan con su hermosura y nosotros brillamos para ella". Estrellada, poseída por un entendimiento que se reflejaba en sus pupilas, le planteó al Maestro lo siguiente: "¡o sea que nosotros somos parte de la Tierra! Yo quisiera ser parte de ella. Cuánto me gustaría vivir la experiencia de estar allá y saber qué hacen sus habitantes". Respondió entonces el Maestro: "te enviaré rumbo a la Madre Tierra, pero recuerda algo muy importante: brillarás nuevamente solo cuando lo llegues a necesitar". Estrellada lanzó a aquel ser supremo una mirada colmada de felicidad al tiempo que le dijo: "Maestro, mi gratitud estará siempre contigo". Luego suspiró profundamente y pensó: "volveré nuevamente, pero no sé cuándo, solo Él lo sabe y para ese entonces habré vivido lo suficiente en la Madre Tierra como para aprender todo acerca de ella y de quienes la habitan".

De repente la curiosa e intrépida estrella se fue apagando de forma lenta y cuando ya no brillaba más fue enviada a la Madre Tierra. Al despertar pudo ver el majestuoso colorido de ese planeta, así como también una variedad de hombres de distintas razas que se comunicaban en diferentes lenguas. Su sorpresa fue tanta que guardó silencio y pensó: "el encanto de este sitio es tan divino que lo único que se necesita es vivir aquí para poder entenderlo".

Su cuerpo experimentó un cambio: pasó de ser un refulgente astro a adoptar una forma humanoide. Y así, ávida de conocer todo acerca de ese lugar inhóspito y teñido de verde y azul profundo, Estrellada dio inició a su travesía que plasmó en el siguiente relato:

ASIA

Mi mirada se perdió entre los siete continentes del planeta Tierra. Volví mi vista atrás y me encontré con el primero de ellos que respondía al nombre de Asia.

Era un continente de enorme extensión y densamente poblado. Entonces me dije a mí misma: "ahora te dedicarás a conocer las maravillas del mundo". Justo en ese instante pude percatarme de que un gracioso perro me estaba haciendo compañía. Observé hacia todas partes, pero no había nadie más cerca. El can y yo intercambiamos miradas un poco sorprendidos y finalmente supimos que estábamos sobre una porción de tierra que se alzaba alrededor de 3.600 metros sobre el nivel del mar. El accidente geográfico no era otro que la Meseta de Pamir, a la cual también se le conoce con una denominación más poética: el "Techo del Mundo".

Contemplé de nuevo a mi acompañante canino y este con mucha gracia batió su diminuta cola y rozó mis pies con su cabecita. Resolví acariciarlo mientras declaraba: "te llamarás 'Lomponsio de los siete continentes de la Madre Tierra'". Luego alcé mi vista y alcancé a divisar al sudeste de Pamir la Meseta del Tíbet cuya altura y extensión me dejaron muy impresionada.

Cada vez era mayor la atracción que ejercían tanto en Lomponsio como en mí los paisajes de la Madre Tierra y la expectativa por el recorrido que nos aguardaba hacía que nuestra mutua compañía fuera más amena. Entretanto, los vientos de Asia alborotaron mi abundante cabellera negra al tiempo que mi cuerpo de mediana complexión sentía los rigores del invierno que azotaba a aquel continente.

La multiplicidad de lenguas en aquel lugar era fascinante y además era una tierra muy rica culturalmente. Eran cerca de 54 idiomas distintos y más de veinte lenguas regionales que destacaban su enorme diversidad étnica. Me causaron sorpresa también las increíbles obras erigidas sobre el continente asiático, entre ellas la monumental Muralla China de la cual se dice que tardó 2000 años en construirse.

Para Lomponsio la experiencia era fascinante y no dejaba de correr con entusiasmo por entre los recovecos de aquella imponente estructura. El recorrido por Asia nos llevó a majestuosos parajes como Jerusalén en el que convergen la fe y la esperanza. Dicho periplo nos permitió asimismo descubrir las leyendas de los hindúes, los persas y los árabes recopiladas en la obra Las Mil y Una Noche. No podía yo apartar mi vista de Lomponsio que se encontraba extasiado por toda esta aventura y aproveché para hablar con él: "mira la economía tan estructurada que hay aquí, su cultura es infinita, sus plantas son hermosas y su gran variedad de animales es única". De repente grité emocionada: "¡Lomponsio, mira, el oso negro, el elefante asiático, el panda rojo y animales como tú!".

El perro los correteó a todos y logró hacerse amigo de muchos de ellos. Era tanta su felicidad que podía notarse la gratitud en sus tiernos ojos, frente a lo cual le confesé: "gracias, Lomponsio. El tenerte aquí ha sido una experiencia maravillosa". Batió su cola el inquieto canino y ya cansado cayó a mis pies. De inmediato lo cargué con el objetivo de partir hacia el continente africano.

ÁFRICA

Nuestro arribo al África resultó ser una experiencia fascinante y no era para menos al tratarse de un continente que abarcaba los cuatro hemisferios. La primera imagen que llegó a nuestras retinas fue la de las misteriosas pirámides de Keops, Kefrén y Micerinos situadas sobre la meseta de Giza, cerca de El Cairo, en Egipto. De repente, escuché un fuerte ladrido que penetró hasta lo más profundo de mis oídos. Era Lomponsio que había resuelto encaramarse sobre mis anchos hombros. La fuerte musculatura de mi cuerpo cautivaba al canino y mi apretada cabellera rozaba el pelo suave del animal provocando una ligera fricción en su cuerpo.

Una vez abandonamos Egipto, procedimos a visitar Tanzania y Kenya, consideradas las reservas naturales más importantes del continente africano y de todo el mundo.

Ambos nos maravillamos con la diversidad climática característica de estas zonas que favorecía la existencia de una enorme variedad de especies como rinocerontes, hipopótamos, leones, leopardos, búfalos, elefantes, flamingos rosados, gacelas, entre muchos otros. Lomponsio no dejaba de admirar semejante fauna única. Recorrimos también Uganda, Ruanda y la República del Congo y allí toda nuestra atención fue atrapada por la belleza de los gorilas que tenían su hábitat en aquellas zonas. Sobraban las palabras y solamente el silencio permaneció junto a nosotros por un buen tiempo. Después recalamos en la isla de Madagascar, lugar en el que Lomponsio se dedicó a correr con una energía que me impulsó a sumergirme entre sus aguas profundas. Pasado un tiempo ambos habíamos nadado tanto que nuestros cuerpos habían remontado el río Nilo y el río Congo, cuyas aguas hacían más fuerte a África.

.

Cansados de tanto nadar, nos aventuramos a caminar entre las montañas africanas; Lomponsio exhibía la energía de una cabra que lo llevaba a correr de un extremo a otro.

Justo en ese instante noté que el perro traía en su hocico algo que brillaba, lo dejó caer a mis pies y así pude apreciar el diamante más hermoso que jamás mis ojos hubieran visto. Lo tomé entre mis manos y le pregunté al animal dónde lo había encontrado. Lomponsio me condujo al lugar en el que había excavado y hallado la gema y para sorpresa mía allí había pepitas de oro junto con otros diamantes de una gran pureza. Una vez nos recuperamos del asombro ante tanta riqueza, partimos rumbo a Europa.

EUROPA

EUROPA

Cuando tocamos suelo del Viejo Continente, Lomponsio se deshizo en ladridos y pronto comprendí que la reacción del animal se debía a que mi complexión y fisonomía eran totalmente distintas: ahora mis cabellos eran dorados, mis ojos muy claros, mi estatura había aumentado y mi condición física era bastante atlética. Tomé a Lomponsio entre mis brazos, en respuesta el perro lamió mi rostro y así sentí cómo me amaba ese animal.

Iniciamos pues nuestro recorrido por ese continente que al norte limita con el océano Ártico, al occidente con el Océano Atlántico y al sur con el mar Caspio, el mar Mediterráneo y el mar Negro. Al oriente los Montes Urales marcan la división entre Europa y el continente asiático.

Permanecimos un buen tiempo en el Viejo Continente, de tal forma que terminamos por acostumbrarnos y superar la tristeza que nos causaban la oscuridad y las fuertes lluvias propias del otoño y el invierno. Las estaciones frías pronto cedieron y finalmente llegó el verano.

Fuimos testigos de cómo los europeos habían llevado a su continente natal muchos cultivos originarios de Suramérica, como la papa, la yuca, el maíz y muchos más. También observamos enormes rebaños de ganado porcino, caprino y animales de granja. A nuestro alrededor encontramos ardillas rojas, osos pardos, lobos, corzos, musarañas, ciervos, erizos, murciélagos y zorros. Y nos maravillamos con la altura, imponencia y el relieve de los Montes Escandinavos, los Alpes y los Pirineos. Mientras nos impresionábamos con tanta riqueza natural, deleitamos nuestro paladar con los deliciosos y elaborados manjares característicos de la gastronomía europea.

Nos percatamos también de la gran cantidad de turistas que visitaban el continente en verano por ser un destino muy popular. Allí se dedicaban a visitar museos para todos los gustos con el fin de conocer de cerca la obra de personajes como Miguel Ángel, Pablo Picasso y Leonardo Da Vinci, este último un gran pintor, dibujante

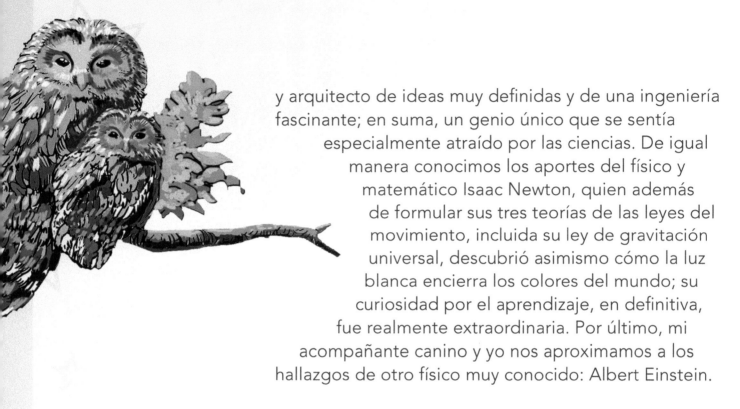

y arquitecto de ideas muy definidas y de una ingeniería fascinante; en suma, un genio único que se sentía especialmente atraído por las ciencias. De igual manera conocimos los aportes del físico y matemático Isaac Newton, quien además de formular sus tres teorías de las leyes del movimiento, incluida su ley de gravitación universal, descubrió asimismo cómo la luz blanca encierra los colores del mundo; su curiosidad por el aprendizaje, en definitiva, fue realmente extraordinaria. Por último, mi acompañante canino y yo nos aproximamos a los hallazgos de otro físico muy conocido: Albert Einstein.

En este punto no pudimos más que aceptar que la diversidad lingüística de Europa era inverosímil, conservaba este continente desde la antigüedad muchos secretos que lo hacían mucho más atractivo a los ojos del mundo entero, sus cementerios eran inmensos y colmados de mucha historia. Finalizamos el recorrido dominados por un gran éxtasis. Le lancé una mirada a Lomponsio, lo estreché entre mis brazos y le susurré: "es tiempo de ir a Australia".

AUSTRALIA

Cada vez que llegábamos a otro continente, Lomponsio me contemplaba con ojos llenos de ternura y yo en respuesta le sonreía. Mis cabellos que continuaban siendo dorados se confundían con el pelaje de igual color del perro y esa era la razón por la cual en nuestros rostros se dibujaba una permanente sonrisa.

Tanto mi estatura como el tono bronceado de mi piel me hacían sentir distinta. En Australia también era verano. Lomponsio y yo recalamos en sus playas que eran bellísimas y allí nos encontramos con la medusa de caja, un invertebrado capaz de causar la muerte a una persona. Pero a Lomponsio le encantaba el mar y salió corriendo en su búsqueda sin ser consciente del peligro que representaban las letales medusas que invadían el lugar, lo cual causó en mí un pánico aterrador. Resolví entonces correr detrás del perro para prevenirlo y protegerlo del potencial riesgo, tomé

aire profundamente hasta sentir que mis pulmones iban a explotar y grité con fuerza, pero a la vez de un modo pausado: "¡Lom... pon... sio!". El alarido fue tan fuerte que generó un eco en las profundidades del mar, el cual, a su vez, hizo que mágicamente desaparecieran todas las medusas de caja.

Ya libres del peligro, pudimos disfrutar a nuestras anchas de aquellas playas maravillosas. De nuevo tomé al animal en mis brazos y de mis ojos se escurrieron sendos lagrimones. Lomponsio estaba empapado y al final no supe si era por la salada agua del mar o por aquellas lágrimas que había derramado sobre el perro como una demostración de cuánto lo amaba. Lo cierto es que al final, y como siempre, los lengüetazos del animal me dejaron como una crispeta de maíz.

A medida que nuestra travesía continuaba, descubrimos que a Australia la adornaba una naturaleza especial. Un tercio de ella era desierto y el 90 % de su población vivía en las costas. Era un continente plano con una altura media de tan solo 330 metros sobre el nivel del mar.

En cada rincón de este lugar se podía ver cualquier cantidad de arañas, millones de abejas y, por supuesto, canguros.

Explorando a través de sus coloridas montañas, nos encontramos con los aborígenes australianos de los que se dice solo representan una pequeña parte de la población total de dicho continente. El perro les lanzó una mirada de intensa curiosidad a la par que ladraba entusiasmado para llamar su atención. Así logramos un acercamiento con los nativos que se vio interrumpido por la aparición de un animal exótico. "Mira, qué bella mamá canguro", le dije a Lomponsio. A su vez uno de los aborígenes que respondía al nombre de Candín afirmó: "canguro viene de gangurru que para nosotros significa 'no entiendo'". Algunos sugieren que esa fue la respuesta que siglos atrás los primeros habitantes de Australia les dieron a los exploradores de James Cook cuando estos preguntaron qué nombre tenía esa singular especie de animal saltarín que guarda sus crías en una bolsa en su vientre.

Lomponsio no dejaba de curiosear con la mamá canguro cuando de un modo inesperado saltó de su marsupio un bebé cangurito que empezó a juguetear con el perro. Juntos comenzaron a dar brincos y uno de ellos fue tan fuerte que Lomponsio terminó ocupando el lugar del pequeño cangurito dentro de la bolsa de su progenitora, lugar en el que se sintió tan cómodo que se quedó profundamente dormido. Cabe agregar que su cuerpo aún estaba mojado por pasar tanto tiempo en la playa y qué mejor lugar para descansar que un cálido y acogedor marsupio. Después de una intensa siesta, Lomponsio saltó de esa bolsa y se despidió de su madre sustituta. Fue difícil saber cuál de los dos se dio más lengüetazos para decirse adiós.

Acercándose la noche, vi cómo Lomponsio intentaba subirse a un árbol para jugar con los koalas, aquellos animalitos nocturnos típicos de la fauna australiana que suelen dormir entre dieciséis y dieciocho horas diarias.

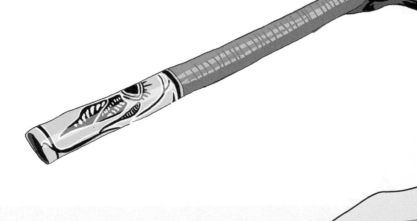

Poco a poco nos fuimos empapando de las costumbres locales como la cantidad de deportes que practican los australianos: surfear, el fútbol, el ciclismo, entre otros, que convierten a este continente en un destino muy popular. También pudimos dar fe del carácter amistoso y el corazón alegre de la gente australiana. Se destacaba el gran respeto con el que se trataban los unos a los otros. Sus ciudades resultaban muy atractivas para el turismo y su industria minera era muy compleja.

Cansados del verano y de tanto trajín, tomamos rumbo a Antártida antes de que las fuerzas nos abandonaran.

ANTÁRTIDA

Los vientos helados de la Antártida nos tenían maravillados, ya que contrastaban con el caluroso verano en Australia. Lomponsio brillaba como el sol y así recordé que el Astro Rey siempre sale por el este y se oculta en el oeste, convirtiéndose de esa forma en un punto de ubicación para definir los cardinales del norte y del sur. La gélida Antártida dejaba aún más al descubierto el pelaje dorado de Lomponsio y cada uno de esos cabellos que cubrían al animal eran agitados por el viento del oeste, lo que daba la impresión de que estuvieran suspendidos en el aire.

Sus perrunos ojos tenían el color de un tigre y se manifestaban con toda la autoridad y serenidad que la Antártida reflejaba. De repente sentí que el can me buscaba con la mirada y así pude percatarme de que estaba yo totalmente cubierta de ropa para resguardarme del frío extremo.

Aunque mi rostro yacía oculto
bajo las prendas, Lomponsio supo que
efectivamente era yo, porque su olfato
se había vuelto cincuenta veces
más fuerte y agudo que el de un
ser humano. El perro estornudó al tiempo que batió su
cola y después rozó mis botas con su menudo cuerpo.

Las bajas temperaturas y los vientos que se registraban
en aquel lugar eran inverosímiles. A medida que ambos
caminábamos nos íbamos enamorando de la belleza
de las ballenas, especies de una ternura indescriptible.
Al acercarse aquellos cetáceos a nosotros provocaron
un fuerte oleaje. El contemplar tan hermosos animales
generaba una paz infinita y el sonido que emitían
era como esa sabiduría que aún no se termina de
comprender. Lomponsio y yo recorrimos ese continente
helado al mismo ritmo que los pingüinos, animales que
nos provocaban una gracia maravillosa. Ellos, por su parte,
nos miraban perplejos para luego quedarse dormidos
junto a las parejas que los habían acompañado durante
toda su vida. Eran animales monógamos a fin de cuentas y
eso los hacía especiales.

Todas esas maravillas resultaban algo extraordinario para Lomponsio y el dormir cerca de mí lo reconfortaba. Semejante cúmulo de experiencias nos ayudó a entender que el amor es una fuerza divina que está en cada uno de nosotros sin importar ninguna condición humana.

Ambos observamos a los osos polares entre la fina blancura de la fría Antártida. Contemplarlos era como perderse en el olvido de todo lo vivido y eso los hacía únicos en la Madre Tierra. No se cansaban los científicos de estudiar este continente, ya que habían logrado una conexión entre el hombre y la ciencia. Al final no pude más que concluir que mi corazón y mi gratitud ante la bella Antártida estarían siempre presentes.

Lomponsio brillaba como nunca en la belleza del hielo Antártico. Respiré profundamente para dar marcha a Suramérica.

SURAMÉRICA

SURAMÉRICA

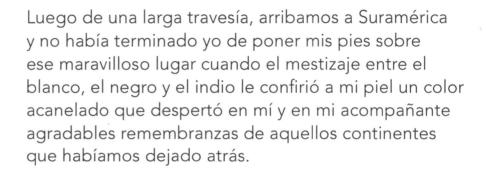

Luego de una larga travesía, arribamos a Suramérica y no había terminado yo de poner mis pies sobre ese maravilloso lugar cuando el mestizaje entre el blanco, el negro y el indio le confirió a mi piel un color acanelado que despertó en mí y en mi acompañante agradables remembranzas de aquellos continentes que habíamos dejado atrás.

Lomponsio no dejaba de correr en medio de tantas montañas. Los árboles y ríos que irrigaban esa tierra tenían un poderío extraordinario y ni Lomponsio ni quienes habitaban dicho lugar podían dejar de admirar tanta belleza. Las cordilleras de Suramérica estaban entre las más altas del planeta Tierra y el frío que se sentía a medida que se escalaba hacia su cima las hacía más hermosas en medio de toda la naturaleza; resultaba un privilegio poder contemplarlas.

Pero nosotros no solo disfrutamos de los parajes naturales, sino que también nos extasiamos por la diversidad cultural (literatura, música, deportes, etc.) de ese subcontinente que despertaba el interés de todo el mundo. Como ejemplo estaba Botero y sus grandes esculturas y pintorescos cuadros que no dejaban de causar admiración. Pude conocer también la diversa literatura latinoamericana que incluía una exquisita gama de escritores, destacando entre ellos el Premio Nobel de Literatura Gabriel García Márquez, Isabel Allende, Juan Carlos Onetti, Eduardo Galeano, Gabriela Mistral, Liliana Colanzi y muchos más que nunca se podrían terminar de nombrar. Todos ellos contribuyeron a la divulgación cultural del patrimonio. Y en lo que respecta a las ciencias, tuve acceso a los descubrimientos del médico Manuel Elkin Patarroyo, célebre por desarrollar la vacuna contra la malaria.

Lomponsio y yo intentamos recorrer cada rincón de esas tierras y en medio de ese periplo constatamos cómo la plata, el oro y las esmeraldas ocultos en ríos, cuevas y en el subsuelo de esa región despertaban el deseo de todos de poseer semejante riqueza. De igual forma pudimos dar fe del potencial agrícola de Suramérica; su variedad de vegetales y frutas era sorprendente y cualquier paladar hubiera quedado satisfecho de haber saboreado tantos manjares. Lo mismo podría decirse de su ganadería y la gran variedad de pájaros silvestres que se perdían en el horizonte. Los troncos de los árboles en aquel lugar eran anchos y fuertes, tanto así que Lomponsio y yo terminábamos extraviándonos de solo intentar rodearlos; eran exuberantes y de una altura inimaginable.

¿Cómo no enamorarse del encanto que producía el verde de esta tierra? El sentimiento que nacía a la hora de describir tanta belleza era tan sublime que hasta el más grande de los grandes hubiera experimentado lo que nosotros vivíamos y sentíamos en ese momento.

El calor de su gente era contagioso y cada sonrisa dejaba un gran recuerdo en nuestro corazón. Sus bellos paisajes evocaban un encuentro con lo romántico. Fue así como fortalecimos nuestro afecto y amistad, los cuales siempre estuvieron acompañados por una sonrisa. Ya no quedaba nada por recorrer. Todo rincón había sido explorado. Nuestros cuerpos estaban cansados y un poco envejecidos, pero también llenos de muchas memorias que nunca olvidaríamos. Solo sabíamos que las alegrías y nostalgias compartidas, si bien nos volvían más vulnerables, de igual forma nos darían las fuerzas para llegar a Norteamérica.

NORTEAMÉRICA

Las callosidades en mis pies y en las patas de Lomponsio demostraban que nuestros largos viajes por todos esos continentes no habían sido en vano. Con esa certeza arribamos a Norteamérica y pudimos ver no solo la incalculable riqueza de esa tierra, sino también a todas las etnias que antes habíamos conocido en los otros continentes allí reunidas.

Era un subcontinente muy avanzado en el campo de la ciencia y la tecnología, su fauna era rica, lo tenía todo. Nuestros ojos se llenaron de lágrimas al ver que todos ambicionaban tener un poco de esa tierra y formar parte de ese sueño americano. Eran demasiadas culturas en un mismo lugar. Su infinidad de idiomas y religiones era fascinante y todo lo que la mente pudiera imaginarse. Sin embargo, todo eso no era suficiente y los conflictos cada vez se agudizaban más. El poder de tenerlo todo no tenía límites y la ambición crecía lentamente entre quienes habitaban esa región. Entonces entendí con claridad la tercera ley de Newton: el principio de acción y reacción el cual establece que con toda acción hay una reacción opuesta de igual intensidad. O lo que se conoce también como el principio de la reciprocidad.

La humanidad solo necesita un cambio de pensamiento. ¿Qué tal si ellos en vez de actuar con ambición lo hicieran mejor con generosidad? ¿O qué tal si la competencia se transformara en cooperación? Seguramente Lomponsio y yo estaríamos experimentando un mundo diferente. Así fue como comprendimos que dar es un don de sabiduría, que la gratitud es la esencia de todas las cosas y que la razón no puede estar por encima de lo que Dios ha creado.

Ambos guardamos silencio y sentimos cómo nuestros cuerpos se iban transformando en esa luz que algún día yo, Estrellada, llegué a ser. Fue ahí cuando recordé las palabras de mi Maestro: "volverás a brillar en el momento que tengas que regresar a mí". De nuevo entendí que todos venimos de un mismo lugar y que algún día regresaremos a él, tal y como a mí me estaba sucediendo en ese instante. Comprendí también que solo necesitaba sentir y ver desde lo más profundo de mi ser para percibir toda la gratitud y felicidad que había compartido con Lomponsio y todas las razas del mundo. Paulatinamente mi presencia física y la de Lomponsio se fueron alejando más y más de la Madre Tierra y logré ver cómo el llanto, la tristeza y la esperanza iban envolviendo todos esos continentes tan maravillosos.

El hombre solo volverá a ser feliz cuando
encuentre la paz y la armonía consigo mismo.
No olvidemos nunca de dónde hemos
venido y por qué tendremos que
regresar de nuevo.